CE MANGA T'A PLU ?

RETROUVE LE MEILLEUR DU SHÔNEN SUR
www.pika.fr/PikaShonen

ET SUR NOTRE PAGE FACEBOOK
/MANGAPIKA

✿ FAIRY TAIL 61 ✿
SOMMAIRE

CHAPITRE 519 : GARDE LE SOURIRE

DOM DOM DOM DOM DOM DOM DOM DOM DOM

NON...
NON...

C'EST
IMPOSSIBLE...

PRÉPARE-TOI !

ENCHANTEMENT... DU SABRE D'ERZA... DESTRUCTION DE DRAGON...

MÊME SI TU PEUX BRISER UN MÉTÉORE, TU NE FENDRAS JAMAIS LES ÉCAILLES D'UN DRAGON, ERZA !

QUOI ?!

FSHUU

FSHUUUU

MAIS CETTE FOIS, C'EST TERMINÉ...

ADMETS TA DÉFAITE...

BAM

ERZA...

DÉCIDÉ-
MENT...

TU ES BIEN
NAÏVE...

FRSH

BLAM

C'EST
ÇA QUE TU
CHERCHES
?

LE SABRE...

A DISPARU...

ÇA...

JE L'IGNORE...

POUR-QUOI ?

JE SUPPOSE QUE TU NE ME CROIS PAS...

J'AI EU PEUR DE CHANGER D'AVIS, ET J'AI PRÉFÉRÉ ME SÉPARER DE TOI...

TU ÉTAIS SI MIGNONNE...

IL FAUT QUE JE TE DISE... J'AVAIS RENONCÉ À L'IDÉE DE PRENDRE TON CORPS...

JE CROIS... QUE ÇA A... RAVIVÉ MES SOUVENIRS...

TOUT ÇA PARCE QUE TU AS SOURI...

ET L'AMOUR
QUE J'AVAIS
POUR TOI...

PLAF

CHAPITRE 520 :
DRAGON OU DÉMON ?

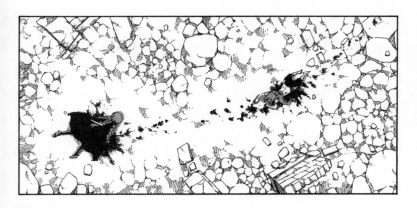

ADIEU...

MAMAN...

24

WENDY... ÇA VA ?

C'EST PLUTÔT À MOI DE TE POSER CETTE QUESTION...

ERZA...

ENFIN... IL NE S'AGIT PAS QUE DE MON CORPS...

MOI, ÇA VA...

À CE PROPOS, QUELQUE CHOSE M'INTRIGUE DEPUIS TOUT À L'HEURE...

CETTE FEMME ÉTAIT PEUT-ÊTRE PROFONDÉMENT TRISTE...

MALGRÉ TOUT, JE N'AI QU'UN PARENT, ET C'EST LE MAÎTRE...

BREF, JE ME SENS BIEN, PAS DE PROBLÈME...

MERCI, WENDY...

JE NE PERÇOIS PLUS L'ODEUR DU MAÎTRE SUR LE FRONT...

IL Y EN A TELLEMENT, DIFFÉRENTES ET MÉLANGÉES, QUE ÇA NE VEUT PEUT-ÊTRE RIEN DIRE, MAIS...

FWIT

AH...

SNIF

JE SUIS LÀ...
ÇA VA ALLER...

...

AH... NON...
PAS ÇA...

OUI...

DIS... JE VAIS MOURIR ?

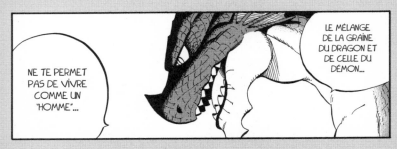

LE MÉLANGE DE LA GRAINE DU DRAGON ET DE CELLE DU DÉMON...

NE TE PERMET PAS DE VIVRE COMME UN "HOMME"...

EN PLUS, JE N'AI TOUJOURS PAS VAINCU ZELEPH NI ACNOLOGIA...

J'AI POURTANT ENCORE PLEIN DE CHOSES À FAIRE DANS LA VIE...

PFF...

HÉ ! ON NE FRAPPE QUELQU'UN QUI A LE MORAL À ZÉRO !

SHH !! BONG

AÏE !

JE VIENS DE TE DIRE QUE LE MÉLANGE DES DEUX GRAINES TE FERAIT MOURIR...

?

TU NE VEUX PAS ÉCOUTER LA FIN DE MON HISTOIRE ?

HEIN ?
ET JE FAIS COMMENT ?

ET QUE, DE TOUTE FAÇON, ELLES NE PEUVENT PAS SE MÉLANGER...

IL FAUT EN CHOISIR UNE !

SI TU ES UN DRAGON...

OU UN DÉMON.

TU DOIS FAIRE PREUVE DE DÉTERMINATION...

ET DÉCIDER PAR TOI-MÊME...

QU'IL VIVE OU QU'IL MEURE...

C'EST TOI QUI CHOISIRAS...

E.N.D. EST LE DÉMON LE PLUS PUISSANT QUE J'AI CRÉÉ...

TU VAS DEVOIR CHOISIR, TOI AUSSI...

TU CONNAIS LA RÉPONSE, HEIN ?

NATSU...

UN DRAGON...

OU UN DÉMON...

BEN OUAIS ! NI L'UN NI L'AUTRE !

JE SUIS UN HOMME !

JE SUIS NATSU DRAGNIR !

CRAC

CRAC

!

VOILÀ... TU VOIS, QUAND TU VEUX !

TU ES UN HOMME !

TU AS RESSUSCITÉ GRÂCE À LA FORCE DU DÉMON...

ET TU AS ÉTÉ ÉLEVÉ PAR UN DRAGON, MAIS...

PAPA...

C'EST CETTE INQUIÉTUDE QUI A NOURRI LES GRAINES...

NATSU
!

NATSU
!

AH ! NON...
C'EST-À-DIRE
QUE...

EH BEN...
IL Y A DU
RELÂCHEMENT
SUR LA TENUE
!

IMBÉCILE !
J'ÉTAIS MORTE
D'INQUIÉTUDE
!

MOI, J'AI CRU
QUE TU NE TE
RÉVEILLERAIS
PLUS JAMAIS...

?

NE T'EN FAIS PAS, LUCY ! JE CROIS QUE ÇA IRA !

HAPPY ! TU AS FAIT LES RECHERCHES QUE JE T'AVAIS DEMANDÉES ?

MAIS NATSU... SI TU VAINCS ZELEPH... TU...

OUI...

ALORS JE PENSE QUE ÇA IRA !

SUR LE PLAN MENTAL, J'AI ÉTÉ TRÈS PERTURBÉ, MAIS...

JE ME SUIS FINALEMENT CONVAINCU QUE J'ÉTAIS UN HOMME...

QUOI ? C'EST TOUT ?

ET ERZA DOIT ÊTRE EN TRAIN DE SE BATTRE...

GREY EST DANS LA PIÈCE VOISINE...

MES SOUVENIRS SONT FLOUS, MAIS JE CROIS BIEN AVOIR TRÈS MAL AGI...

IL Y A PLUS IMPORTANT : OÙ SONT GREY ET ERZA ?

AH...
MAIS...

CETTE
LUMIÈRE...
JE LA RE-
CONNAIS...

C'EST
QUOI, ÇA
?!

TENEZ-VOUS
TOUS PAR
LA MAIN
!

QU'EST-
CE QUI SE
PASSE ?!

OUI
!

ACCROCHE-
TOI BIEN
!

QU'EST-
CE QUE...

EILEEN...

A ÉTÉ VAINCUE ?

L'EFFET D'UNIVERSE ONE DISPARAÎT...

ET LE MONDE REPREND SA POSITION D'ORIGINE...

TIIIIIIING

AH ! HISUI !

PÈRE !

CHAPITRE 521 :
LE PLUS PUISSANT DES MAGES

ON EST CHEZ NOUS !

ON EST DE RETOUR !

C'EST MAGNORIA !

MAÎTRE ! ON ATTEND VOS ORDRES !

RESTEZ CONCENTRÉS ! L'ENNEMI EST TOUJOURS LÀ !

BLAM

ET N'OUBLIEZ PAS QUE L'ENNEMI N'A PAS DIT SON DERNIER MOT !

VOUS ÊTES EN TERRAIN CONNU, DÉPLACEZ-VOUS VERS UN LIEU QUI VOUS FAVORISE !

CHEZ NOUS...

À LA GUILDE...

JE TE PROMETS DE TE RAMENER...

ON Y EST PRESQUE, LE VIEUX...

POURQUOI S'EST-IL BATTU LES YEUX FERMÉS ?

IL ÉTAIT FORT, MAIS UN PEU BIZARRE... ET C'EST CE QUI M'A SAUVÉE...

PLAF

NON...

JE N'AI PAS DIT MON DERNIER MOT...

!

ON L'A ENFIN VAINCU...

IL A FALLU S'Y METTRE À DEUX, MAIS ON Y EST ARRIVÉS.

IL FAUT QUE ÇA S'ARRÊTE...

CETTE GUERRE NOUS A DÉJÀ BEAUCOUP TROP COÛTÉ AUX UNS ET AUX AUTRES...

ILS SONT DE LA MÊME FAMILLE ?

QUOI ?!

GRAND-PÈRE...

CETTE GUERRE EN PARTICULIER ?

NON, ÇA VAUT POUR TOUTES LES GUERRES !

JE VOUS EN PRIE... PRENEZ MA VIE S'IL LE FAUT, MAIS ÉPARGNEZ MON PETIT-FILS...

VOUS AVEZ TOUJOURS ÉTÉ DANS LE CAMP DES VAINQUEURS, ALORS VOUS N'EN AVIEZ PAS CONSCIENCE, MAIS...

LES PAYS QUE VOUS ÉCRASEZ PAYENT TOUJOURS UN PRIX TRÈS ÉLEVÉ DANS CHACUN DES CONFLITS...

NI MOI NI MON FRÈRE N'AVONS ENVISAGÉ DE TUER NOTRE ADVERSAIRE...

NE VOUS EN FAITES PAS...

ARRÊTE, GRAND-PÈRE ! C'EST HUMILIANT !

JE T'AI PAS DEMANDÉ TON AVIS !

VOUS NE VOUS RESSEM-BLEZ PAS...

TON GRAND-PÈRE ET TOI NON PLUS...

À LA GUILDE, ON EST TOUS DES FRÈRES, MAIS LISANA ET MOI, ON A UN VRAI LIEN DE SANG

FWIT

TON FRÈRE ?

VOUS ÊTES DE LA MÊME FAMILLE ?

HEIN
?

C'EST TRÈS BIEN D'ÊTRE REVENUS À MAGNORIA, MAIS...

OÙ SONT PASSÉS TOUS CEUX QUI ÉTAIENT AVEC NOUS JUSQU'À PRÉSENT ?

CARLA, POLYUSSICA, EVER GREEN ET...

...

BRANDISH
!

NOUS
?

HIIII...

HIIII...

J'AI VRAIMENT CRU QUE LUCY ALLAIT MOURIR ALORS...

ARRÊTE... T'APPROCHE PAS DE MOI...

JE CROIS QUE J'Y SUIS ALLÉ UN PEU FORT...

JE NE ME SOUVIENS DE RIEN, MAIS...

BRANDISH ! AU SECOURS !

FLAP

FLAP

JE COM- PRENDS...

MAIS JE NE COMPTE PAS NON PLUS ME JOINDRE À VOUS...

NE T'EN FAIS, JE N'AI PLUS AUCUNE INTENTION DE RE- DEVENIR VOTRE ENNEMIE...

OÙ TU VAS ?

BON... ON VOUS LAISSE...

TAP

TAP

TOI, T'ES VRAIMENT COLLANTE...

...

ON SE REVERRA, HEIN ?

EVER !

JUBIA !

NATSU ! LUCY !

IL A REPRIS CONNAISSANCE JUSTE AVANT L'ÉCLAT DE LUMIÈRE...

IL ÉTAIT GRIÈVEMENT BLESSÉ... CE SERAIT SUICIDAIRE DE SE DÉPLACER DANS SON ÉTAT !

ON A CHERCHÉ GREY, MAIS IL EST INTROUVABLE !

POLYUSSICA EST LÀ AUSSI...

AVEC CARLA !

DONNONS VOS CORPS ET ÂMES À NOTRE SEIGNEUR !

JE M'ADRESSE À VOUS, DOUZE FILS DE L'EMPEREUR...

MAINTENANT QU'ON A MIS AUGUST EN COLÈRE...

J'AIMERAIS QU'ON PUISSE SE REVOIR, MAIS...

C'EST IMPOS-SIBLE...

VOUS SENTEZ CETTE MAGIE ?!

ELLE EST ÉNORME... ÇA FAIT TREMBLER LA TERRE...

ET JE VAIS ÉLIMINER L'ENNEMI, CORPS ET ÂME...

JE SUIS MOI AUSSI L'UN DE SES ENFANTS...

IL VA MÊME DÉZINGUER SES COL-LÈGUES ?!

ÉVA-CUATION GÉNÉRALE !

C'EST LA VILLE TOUT ENTIÈRE QUI VA ÊTRE DÉTRUITE !

LÀ, JE LE SENS MAL !

OUPS...

J'AI DÉTRUIT LA CATHÉDRALE...

!!

BROOOOOM

CRT

CRT CRT

CRT

OUIiii ! C'EST GILDARTS ! GILDARTS !

FSHT

BAM

JE NE PENSAIS PAS QUE TU SERAIS LE PREMIER À ARRIVER ICI...

ET FRANCHE-MENT, JE SUIS DÉÇU...

J'AVAIS PLUTÔT MISÉ SUR GERALD OU LUXUS...

GREY...

INCONTES-
TABLEMENT, LE
MEILLEUR AMI
DE NATSU...

J'IMAGINE
QUE TU DOIS
ME HAÏR AU PLUS
HAUT POINT...

TON PROPRE
MAÎTRE A PERDU
LA VIE EN VOULANT
LE VAINCRE...

TES PARENTS
ONT ÉTÉ TUÉS
PAR DELIORA, UN
DÉMON DE MA
CRÉATION...

LÀ, TU ME SUR-PRENDS... TU DÉTIENS DES INFORMATIONS SUR QUELQU'UN QUI NE REPRÉSENTE RIEN POUR TOI...

EN TEMPS DE GUERRE, IL EST FONDA-MENTAL DE BIEN CONNAÎTRE SES ENNEMIS...

ELLE EST JOYEUSE, VOLONTAIRE ET ELLE EST POUR BEAUCOUP DANS L'ÉVOLUTION DE NATSU...

LUCY HEARTFILIA...

PETITE-FILLE D'ANNA, L'UNE DE MES AMIES...

ERZA, WENDY, GAJIL...

JE CONNAIS TOUS CEUX QUI JOUENT UN RÔLE IMPORTANT...

HAPPY, LE COMPAGNON DE NATSU...

LE LIEN QUI LES UNIT EST TRÈS FORT...

QUEL EST TON VÉRITABLE OBJECTIF ?

EN EFFET...

À L'INVERSE, NOUS, ON NE SAIT PRATIQUEMENT RIEN DE TOI...

FWIT

CETTE RÉPONSE T'EST VRAIMENT NÉCESSAIRE ?

JE VEUX LA MAGIE DE MAVIS...

ET VOUS, VOUS LA PROTÉGEZ... ÇA TE VA COMME ÇA ?

!

JE VEUX VAINCRE ACNOLOGIA...

TU DISPOSES D'UNE ARMÉE GIGANTESQUE, TU POSSÈDES L'IMMORTALITÉ... ET TU AS QUAND MÊME BESOIN DE LA MAGIE DE MAVIS ?

PAS DU TOUT, C'EST LA VÉRITÉ... JE FINIRAI PAR VAINCRE ACNOLOGIA...

TU TE FICHES DE MOI...

ÇA TE CONVAINC DE COLLABORER ?

FIORE

MAIS...

MON AMBITION...

EST ÉVIDEMMENT PLUS GRANDE QUE ÇA...

JE SUIS LÀ
!

TU USES D'UNE MAGIE TRÈS AMUSANTE...

DOOM

FSHHHH

QUOI ?!

NON ! C'EST UNE BLAGUE ?!

FUUUU

AVEC MON PÈRE,
IL NE FAUT JAMAIS
DIRE "JAMAIS"
!

KANNA !
NON
!

TU N'AS
RIEN À
FAIRE ICI
!

TON PÈRE
?

HO HO...

UNE
FAMILLE,
OUI...

TU ES LE PREMIER À QUI J'EN PARLE...

A PRIORI, AUCUN DES SPRIGGAN TWELVE N'EST AU COURANT...

...

QUOI ?!

ÇA TE DONNE UNE IDÉE...

DE LA PUISSANCE DE FAIRY HEART...

...

TU SAIS POURQUOI JE T'AI EXPLIQUÉ TOUT ÇA ?

TU ES SÉRIEUX ?

NON, JE NE PEUX LE CROIRE...

PARCE QUE NATSU SE DIRIGE PAR ICI...

ET QUE TU SERAS MORT AVANT QU'IL NE SOIT LÀ...

IL SERA TERRIBLEMENT TRISTE ET CERTAINEMENT TRÈS EN COLÈRE...

LORSQU'IL ARRIVERA, IL TROUVERA SON GRAND AMI, GREY, MORT...

C'EST MA DERNIÈRE CHANCE D'AFFRONTER NATSU AU SOMMET DE SA FORCE...

ET TU VAS ÊTRE L'ULTIME DÉCLENCHEUR DE SA PUISSANCE !

JE SUIS IMMORTEL... TU L'AS OUBLIÉ ?

PERSONNE N'EST EN MESURE DE ME TUER...

LÀ, TU RÊVES... TU NE SERAS PLUS DE CE MONDE QUAND NATSU SE POINTERA...

OUI...
JE SAIS...

ALORS,
NATSU
AUSSI...

ET MÊME,
EN SUPPOSANT
QUE TOI, TU Y
PARVIENNES...

C'EST
NATSU...

NATSU...

TU SAIS QUE
NATSU EST
E.N.D.
?

AH BON
?

JE VOULAIS
BLÂMER QUELQU'UN
POUR LA MORT DE
MES PARENTS ET
DE MON MAÎTRE...

EN
L'OCCURRENCE,
C'ÉTAIT E.N.D...

ET TU CROIS QUE JE VAIS TE LAISSER FAIRE ?

QUE CE SOIT LA TIENNE OU LA MIENNE....

MALHEU-REUSEMENT, LA MORT VA VOUS SÉPARER...

JE SUIS LÀ POUR TE VAINCRE !

FOOO

IL EXISTE UN MOYEN DE TE VAINCRE SANS TE TUER...

SI JE MEURS, NATSU...

ON DIRAIT QUE TU N'AS PAS COMPRIS...

JE SAIS MAINTENANT QUE CELA DÉPASSE LE CADRE DE MA SEULE VIE...

JE NE MOURRAI PAS AUSSI FACILEMENT... PARCE QU'IL NE S'AGIT QUE DE MA PETITE PERSONNE...

JE VAIS M'EFFACER DE LA MÉMOIRE DE TOUS MES COMPAGNONS !

OUI... PEU IMPORTE QUE PERSONNE NE SE SOUVIENNE DE MOI...

C'EST UN SORT DE LOST ?!

ATTENDS... CETTE MAGIE...

MA VIE, MON ÊTRE, MES SOUVENIRS VONT PASSER DANS CE SORT...

SORT PERDU DE LA GLACE ABSOLUE !

CHAPITRE 523 :
SENS-TU LE DESTIN BRÛLER EN TOI ?

UN SORT DE LOST...

OÙ AS-TU ACQUIS ÇA ?

CRIT

CRIT

LA PUISSANCE D'UN SORT ASSORTI DE LOST EST AMPLIFIÉE AU CENTUPLE...

JE ME SUIS BIEN POURRI LA VIE, MAIS ÇA VALAIT LE COUP !

88

PLUS PERSONNE NE SE SOUVIENDRA DE MOI...

J'EN AI CONS- CIENCE...

ET CELUI QUI EN FAIT USAGE PAYE LE PRIX FORT : IL DISPARAÎT DE CE MONDE...

MAIS AINSI, PERSONNE NE SERA TRISTE !

IL Y A EU BIEN ASSEZ DE LARMES COMME ÇA !

BAM

CRIT

MON CORPS...

SE FIGE...

CRIT

CRIT

FI-UU

UUH !

C'EST TERMINÉ !

ZELEPH !

MAIS TU NE FERAS JAMAIS QUE M'ENFERMER DANS LA GLACE !

TU ES PRÊT À DISPARAÎTRE EN UTILISANT CE SORT...

SI JE TE TUE, NATSU MOURRA !

TU NE ME TUERAS PAS POUR AUTANT !

OUI...

!

GREY...
TOI, ALORS...

TROP TARD...
MON CHOIX
EST FAIT...

NE RENONCE
JAMAIS À
VIVRE...

C'ÉTAIT
LA SEULE
SOLUTION...

NON...

TU AS TOUJOURS
ÉTÉ LÀ, JUSQU'AU
BOUT... MERCI,
OUI...

ARR...

ARRÊTE...

TU AS DÉJÀ OUBLIÉ ?

TE VOILÀ...

NATSU...

J'AI...

JE...

JE T'AI DÉJÀ EMPÊCHÉ D'UTILISER CE SORT !

J'ÉTAIS SOUS L'EMPRISE DE L'ÉMOTION...

ET J'AI VOULU VOUS TUER... TOI... NOS COMPAGNONS...

...

GREY...

ON EST TOUS DANS LE MÊME CAS !

JE N'AI PLUS MA PLACE À LA GUILDE !

ALORS...

ON EST AMIS... HEIN ?

...

NE MEURS PAS...

ET N'Y PENSE MÊME PAS !

IL FAUT VIVRE !

FAUX !

IL MOURRA, OUI... QU'IL GAGNE OU QU'IL PERDE...

QUEL DESTIN CRUEL !

NATSU... SI TU VAINCS ZELEPH...

ET ZUT...

IL S'EN SORTIRA... PROBABLEMENT !

BEN OUI ! C'EST NATSU !

JE VAIS LE CRAMER, MOI, LE DESTIN !

JE TE FAIS CONFIANCE...

NATSU...

LA FORMULE EST INTÉRES-SANTE...

POF

DJJJJOOOOM

TU VAS CRAMER LE DESTIN ?

FSHT

MAIS MOI, PAR CONTRE...

J'AI ACCEPTÉ LE MIEN...

TU SAIS POURQUOI ?

TU PEUX MARCHER, ERZA ?

TA MAGIE DE GUÉRISON EST TOUJOURS AUSSI IMPRESSIONNANTE.

IL SAVAIT QU'IL MOUR-RAIT...

NON... IL SAVAIT PARFAITEMENT CE QU'IL FAISAIT...

SI SEULEMENT J'AVAIS PU ÊTRE AUX CÔTÉS DU MAÎTRE, PEUT-ÊTRE QUE...

BON SANG... CETTE MAGIE...

!!

!

!!

BOOOM

CHAPITRE 524 :
UN AVENIR SOMBRE

QUI EST-CE ?!

HÉ HÉ

CETTE MAGIE...

JE L'AI DÉJÀ RESSENTIE AUPARAVANT...

FWIT

!

ALORS, C'EST TOI...

QUI AS DONNÉ AUX HOMMES LE POUVOIR DES CHASSEURS DE DRAGONS...

POF

ÇA FAIT DE TOI MA MÈRE...

ET MON PÉCHÉ !

CRSH

C'EST BIEN CE QUE JE PENSAIS...

AÏE...

NATSU !

SI JE NE L'AVAIS PAS ARRÊTÉ...

LE POUVOIR D'IGNIR A DISPARU...

ET DANS CES CONDITIONS, TU N'AS AUCUNE CHANCE DE ME BATTRE !

IL RESTE MA FORCE !

CETTE MAGIE...

AH...

NATSU, LA RÉCRÉATION EST TERMINÉE...

IL EST L'HEURE...

EILEEN A FAIT CE QU'ELLE A PU POUR GAGNER DU TEMPS, MAIS...

POUR MOI, C'EST LA DERNIÈRE CHANCE...

PENSE À L'AVENIR DES HOMMES ET ACCEPTE DE MOURIR !

C'EST
TERMINÉ
?

ACNOLOGIA
!

NE ME DIS
PAS QUE
C'EST...

CETTE
SENSATION...

IL AURAIT FALLU QUE NOTRE MAJESTÉ ZELEPH ACQUIÈRE FAIRY HEART AVANT SON ARRIVÉE...

LE RÉSULTAT AURAIT ALORS PU ÊTRE TRÈS DIFFÉRENT...

JE TROUVE QUE TU ABANDONNES BIEN VITE...

SES AILES OBSCURES VONT NOIRCIR L'AVENIR DE L'HUMANITÉ...

ET TU CROIS QU'ON VA AVALER CES SORNETTES ?

JE NE VOUS DEMANDE PAS DE ME CROIRE...

EN MATIÈRE D'AVENIR SOMBRE, VOUS AUTRES TENIEZ LE BON BOUT, HEIN ?

L'EMPEREUR AGIT DANS L'INTÉRÊT DES HOMMES...

MOI, JE COMPRENDS...

C'EST SUFFISANT...

NE TE FICHE PAS DE NOUS ! TU PEUX INVENTER TOUS LES PRÉTEXTES QUE TU VEUX...

VOUS ÊTES ET VOUS RESTEZ DES ENVAHISSEURS !

NOUS, LE BIEN, LE MAL, ON S'EN FICHE !

IL Y A EU BEAUCOUP DE VICTIMES DES DEUX CÔTÉS...

LE MAÎTRE LUI-MÊME A PERDU LA VIE...

À NOS YEUX, TOUT CE QUI COMPTE...

C'EST LE BON TEMPS QU'ON VA PASSER AVEC NOS COMPAGNONS !

ET C'EST POUR ÇA QU'ON NE RENONCERA JAMAIS !

KANNA...

FSHHH

NOUS PROTÉGERONS CETTE VILLE... ET NOTRE GUILDE !

ACNOLOGIA OU ZELEPH, ON NE RECULERA PAS !

HEIN
?

TU AIMES
TON PÈRE
?

DIS-MOI...

...

IL EST
INDEMNE
?!

ÉVIDEM-
MENT
!

ET TOI,
TU AIMES
TA FILLE
?

KANNA !
NE DIS PAS
ÇA !

DE TOUTE
FAÇON,
ON N'EST
PAS LÀ POUR
PARLER
DE ÇA
!

PLAF

AUCUNE IDÉE...
ET JE M'EN
FICHE...

125

C'EST L'AMOUR FAMILIAL...

IL EN RESTE UNE QUI M'ÉCHAPPE ENCORE MAINTENANT...

J'AI PARCOURU LE MONDE POUR COMPRENDRE TOUTES LES MAGIES EXISTANTES, MAIS...

TAC

SI TU VOIS MOURIR TA FILLE SOUS TES YEUX ?

QUE RESSENTIRAS-TU...

HEIN ?

CHAPITRE 525 :
POURQUOI L'EMPEREUR
N'AIME-T-IL PAS SON FILS ?

LES ENFANTS AIMENT LEURS PARENTS... ET LES PARENTS AIMENT LEURS ENFANTS ?

BLAM

OUTCH!

ET ÇA T'ÉTONNE ?!

POF

POURQUOI L'EMPEREUR N'AIME-T-IL PAS SON FILS ?

CRIIISH

DANS CE CAS...

DOOOM

WAAAAH !

JE N'AI PAS D'ORDRE À RECEVOIR DE TOI !

N'APPROCHE PAS, KANNA !

GILDARTS !

FWIT

PRENDS TES DISTANCES, TU M'ÉTOUFFES !

FACILE À DIRE...

...

JE N'AI PAS ENVIE QUE MA FILLE ADORÉE S'ÉLOIGNE !

POURQUOI L'EMPEREUR N'AIME-T-IL PAS SON FILS ?

HHHF

OUTCH!

BOM

HURLEMENTS
DU DRAGON
DE FEU
!

FO

VOOM

DOM

PARTEZ !
NE RESTEZ
PAS LÀ
!

?!

MAVIS
?

GREY !
LUCY !
HAPPY
!

!

VOUS
ÊTES À LA
GUILDE
?

...

LE DESTIN DE NATSU ?

JE VOUS EXPLIQUERAI UNE FOIS QU'ON SERA RÉUNIS ! JE CRAINS QUE L'ENNEMI INTERCEPTE CETTE TRANSMISSION TÉLÉPATHIQUE !

QU'EST-CE QUE TU VEUX DIRE PAR LÀ ?

NATSU...

OUI !

ALLONS-Y ! ON NE FERA QUE GÊNER NATSU SI ON RESTE ICI !

TU DOIS
GAGNER...

!

CRSH

TCHAC

OOH!

GHH!

BAM

J'ADORE ÇA, NATSU...

TAP

HEIN ?

SI JE NE TE VAINCS PAS ICI ET MAINTENANT, L'AVENIR DE L'HUMANITÉ SERA COMPROMIS...

POURTANT, JE M'AMUSE COMME UN PETIT FOU...

TU ME GONFLES AVEC TES EXPLICATIONS !

C'EST PEUT-ÊTRE LE PARADOXE DE CETTE MALÉDICTION...

J'AI DU MAL À ANALYSER CE QUE JE RESSENS...

ALLEZ... IL FAUT EN PROFITER...

BONG BONG BONG BONG BONG BONG

ZUT ! RÉVEILLE-TOI !

C'EST PAS LE MOMENT DE DORMIR !

"PAPA" ?!

L'ÂME BLANCHE VA S'ENVOLER LIBREMENT DANS LE CIEL !

ET TUER CET ENFOIRÉ !

TU VAS ENFIN ÊTRE LIBÉRÉ DE L'ENSORCEL-LEMENT DE TON PETIT FRÈRE !

143

CHAPITRE 526 :
JE M'APPELLE...

PFF... MÊME PAS MAL ! C'EST UNE PARTIE QUE M'A DÉJÀ BOUFFÉE ACNOLOGIA...

GHH...

GILDARTS !

!

ARRÊTE TES BÊTISES !

ÇA, N'Y COMPTE PAS... POUR MA FILLE, JE SUIS PRÊT À TOUT !

TU PARLES ! DÈS QUE TU PEUX, TU DISPARAIS !

C'EST ÉTRANGE, HEIN ? J'AI LONGTEMPS VÉCU EN NE PENSANT QU'À MOI-MÊME...

ET DU JOUR OÙ J'AI EU UN ENFANT, JE N'AI PLUS PENSÉ QU'À LUI...

AH ! TU VOIS !

C'EST ENCORE PIRE !

MAIS SI ÇA NE TENAIT QU'À MOI, JE RESTERAIS COLLÉ À TOI TOUTE LA JOURNÉE ! ♡

JE SUIS PARTI PARCE QUE J'ESTIMAIS QUE MA PRÉSENCE TE GÊNAIT...

!

FSHT

TAP

POUR MA FILLE...

JE SUIS CAPABLE DE TOUT !

GILDARTS !

JE PEUX T'ENTRAÎNER DANS LA MORT AVEC MOI, PAR EXEMPLE !

OUI ! FOU DE MA FILLE !

TU ES FOU !

FAIRYTAIL

TÑ

BAM

ARGH !

MAIS... PAPA...

POUR... POURQUOI ?

JE N'AI PAS D'ENFANT...

TU ES UN DÉMON DU LIVRE DE ZELEPH, OUI...

JE SUIS...

POURTANT... MOI...

UN COBAYE QUI M'A SERVI À CRÉER NATSU... TU ÉTAIS LE PLUS RÉUSSI DE TOUS, ALORS JE T'AI DONNÉ MON NOM, DRAGNIR...

C'EST TOUT...

TU ES VENU PERTURBER MON COMBAT CONTRE NATSU...

ALORS QUE JE M'AMUSAIS...

PEUT-ÊTRE... MAIS MOI...

TU N'ES QU'UN RATÉ !

OUTCH!

BAM

...

BON... REPRENONS OÙ ON EN ÉTAIT...

ARRÊTE !

PRECHT M'A ABAN-DONNÉ...

MAIS JE NE LUI EN VEUX PAS...

AVEC MA GRANDE MAGIE, C'ÉTAIT FACILE...

J'AI DÉCOUVERT QUI ÉTAIENT MAVIS ET ZELEPH EN FOUILLANT DANS MA MÉMOIRE...

C'ÉTAIT UNE LUTTE QUOTI-DIENNE...

L'ENFANCE A ÉTÉ ASSEZ COMPLI-QUÉE...

PAR MON PÈRE...

ET UN JOUR, J'AI ÉTÉ SECOURU...

TAP TAP TAP TAP TAP TAP

TU CROIS ? ALORS QUE J'AI PERCÉ LE SECRET DE TA MAGIE ?!

AUCUN DE TES SORTS NE FONCTIONNERA SUR MOI !

TU FAIS DE LA COPIE INSTANTANÉE...

FSHUUU

QUOI ?!

ET EN MÊME TEMPS, TU ANNIHILES LA MAGIE DE L'ADVERSAIRE QUI SE TROUVE DEVANT TOI !

FUIT

PAPA !

IL A COMPRIS ÇA EN SI PEU DE TEMPS ?!

DODO DOM DOM

OOOO H

BAM

HEIN ?

TU AS REPOUSSÉ SANS MAL FAIRY LIGHT ET MES ATTAQUES, MAIS...

DOM DOM DOM DOM

POURTANT, TU ESQUIVES LES CARTES DE KANNA... BIZARRE, NON ?!

C'EST DONC ÇA !

CRAC

SANS LES "INSTRUMENTS", TU NE PEUX PAS FAIRE DE COPIE !

IMAGINE UN PEU SI TU POUVAIS APPELER LES CONSTELLATIONS DE LUCY SANS MÊME AVOIR DE CLÉS ! ON SERAIT MAL !

!!

L'EXPLICATION EST SIMPLE : TU NE PEUX PAS COPIER LES MAGIES DE HOLDER !

MAIS ÇA ME CONVENAIT...

MON PÈRE IGNORAIT QUI J'ÉTAIS...

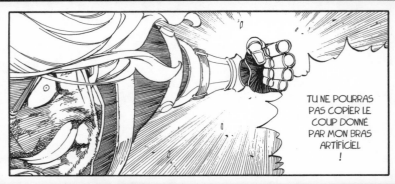

TU NE POURRAS PAS COPIER LE COUP DONNÉ PAR MON BRAS ARTIFICIEL !

ENSEMBLE, ON A FONDÉ UNE NATION...

JE SUIS PASSÉ SOUS LES ORDRES DE MON PÈRE...

CHAPITRE 527 : SENTIMENTS

PAPA...

PAPA...
J'AI MAL...

TRÈS
MAL...

PAPA...

ÇA SUFFIT...

TU VIENS DE MON LIVRE ! C'EST TOUT ! TU N'ES RIEN !

...

NI DE FAMILLE...

JE N'AI PAS D'ENFANT...

ALORS DISPARAIS DE MA VUE !

!!

TIIING

PA...

PA...

PA...

CE N'ÉTAIT PAS UN COM-PAGNON...

PAS DAVANTAGE UN FILS...

BON... TU AS PULVÉRISÉ UN DE TES COM-PAGNONS...

MOI, JE...

MOI...

JE SUIS NÉ AVEC UNE MAGIE SURPUISSANTE...

ZUT...

C'EST UNE BLAGUE ?

ET LORSQUE JE ME SUIS RE-TROUVÉ DANS UNE IMPASSE...

C'EST L'EMPEREUR QUI M'A SAUVÉ LA VIE...

PUIS, J'AI ÉTÉ ABANDONNÉ...

MALTRAITÉ...

BOM

FSHOOO

PEU IMPORTE CE QU'IL ADVIENDRA DE MOI...

JE SUIS AUGUST, LE PLUS GRAND MAGE DES SPRIGGAN TWELVE...

ET J'AI ASSEZ DE POUVOIR POUR DÉTRUIRE CE PAYS TOUT ENTIER !

PAPA...

MAIS...
QUE...

ET
CENDRES...

SOYEZ
POUSSIÈRES...

BROOOOOM

AINSI EST
MA VIE
!

DANS TRÈS PEU DE TEMPS, MAGNORIA VA...

DISPA...

ALERTE GÉNÉRALE ! CONCENTREZ TOUTE VOTRE MAGIE SUR LA DÉFENSE...

EST-CE QUE TOUT LE MONDE M'ENTEND ?!

BEURK

GHH...

J'AI ÉTÉ INTERROMPUE !

!

C'EST AUGUST, LE SPRIGGAN TWELVE !

QUI PEUT BIEN POSSÉDER UNE MAGIE AUSSI PUISSANTE ?

AAH...

AAH

AAH

AAH... AAH

AAH

AAH

DISPARAISSEZ !

NÉ AVEC L'IMMENSE POUVOIR DE LA LUMIÈRE...

L'EMPEREUR AVAIT UN FILS...

LA SEULE PERSONNE CAPABLE DE LE VAINCRE...

LE FILS DE L'EMPEREUR...

RESTE-LÀ, KANNA ! QUOI QU'IL ARRIVE, JE TE PROTÉGERAI !

UH...

GHH...

TILT

C'EST PEUT-ÊTRE SA MÈRE...

DÉPÊCHONS-NOUS !

C'EST GRÂCE À GILDARTS !

IL N'AVAIT PLUS ASSEZ DE MAGIE ?

IL A ÉPUISÉ TOUTES SES FORCES ?!

REGARDE SON CORPS...

...

J'AURAIS VOULU TE TENIR LA MAIN...

NON... IL A VU QUELQUE CHOSE... ET IL A INTERROMPU SON SORT...

JUSTE UNE FOIS...

UNE FOIS...

MAMAN...

CELUI DE NATSU...

LE LIVRE D'E.N.D. !

ET ENSUITE, JE LE FERAI DISPARAÎTRE !

NATSU VA PROBABLE- MENT VAINCRE ZELEPH...

ALORS, TU SAVAIS POUR NATSU...

POUR S'EN SORTIR, NATSU AURA BESOIN...

DES POUVOIRS DE SES COMPAGNONS !

ALORS PLUS PERSONNE NE DOIT S'APPROCHER DE LA GUILDE AVANT QUE TOUT SOIT TERMINÉ !

MAIS AVEC CE CORPS, JE FINIS TOUJOURS PAR TUER CEUX QUE J'AIME...

CE N'ÉTAIT PAS POUR MOI...

J'AI FAIT BEAUCOUP D'EFFORT POUR ACCÉDER AU BONHEUR...

MOI AUSSI, JE ME SUIS DONNÉ DU MAL...

LA FAMILLE, CE N'EST PAS ÇA !

TAP TAP TAP TAP

TAP TAP

AVOIR UNE FAMILLE...

VIVRE HEUREUX... JE N'Y AVAIS PAS DROIT !

UNE FAMILLE, C'EST COMME ÇA QUE ÇA MARCHE !

CE N'EST PAS UNE QUESTION DE DROIT ! ET LE BONHEUR, C'EST À TOI DE LE CONSTRUIRE !

ALORS, SI TU CONSIDÈRES QUE TU N'AS PAS DE FAMILLE...

ÇA MET FIN AU PEU DE LIEN QU'IL RESTAIT ENTRE NOUS...

GRAND FRÈRE !

PAF

LÀ, JE SUIS SURPRIS...

IL RESTAIT DONC QUELQUE CHOSE...

...

À SUIVRE

POSTFACE

On est plongés dans l'ambiance d'une ultime bataille...
Rassurez-moi et dites-moi que vous la ressentez !
Quand j'ai commencé à dessiner Fairy Tail,
je n'avais pas l'intention de donner une telle ampleur au récit.
Du coup, lorsque l'histoire prend une tournure sérieuse, je suis envahi
par le doute et je me demande toujours si j'ai fait les bons choix.

Au départ, je voyais Fairy Tail comme un récit d'aventure joyeux dans lequel
les personnages surmontent de petites épreuves durant leurs voyages,
mais avec le temps, pour éviter que les lecteurs ne se lassent,
j'ai finalement intégré toutes sortes de nouveaux éléments.

En fait, mon précédent manga, Rave, avait déjà un ton sérieux, et je me
souviens avoir voulu revenir à une histoire plus légère lorsque j'ai commencé
Fairy Tail. Malgré cela, on se retrouve plongés au cœur d'une grande guerre...

En réalité, la grande différence entre Rave et Fairy Tail
se situe dans la mentalité des personnages. Dans Rave,
ils se battaient pour protéger la Terre, alors que Natsu et ses
compagnons ne combattent absolument pas pour la paix dans le monde,
ils veulent avant tout protéger leur guilde, leur communauté.
Dans l'arc d'Edolas, Natsu dit : "On a intégré la guilde pour survivre
et on se fiche bien de ce qui peut arriver au reste du monde !"
Ce n'est pas vraiment le genre de phrase qu'on a l'habitude d'entendre dans
la bouche d'un héros de shônen, mais ça résume bien l'esprit de Fairy Tail.
Ils se battent pour survivre. Ils combattent pour leurs compagnons.
Et tant pis si ça n'a aucun lien avec la paix dans le monde. Cela
représente bien la notion de justice que défendent les héros.

Soyons honnête : j'adore Natsu et toute sa bande, et je serais tout
à fait prêt à raconter leurs aventures pendant encore très longtemps,
mais j'ai aussi envie de me plonger dans une nouvelle histoire, avec de
nouveaux personnages. Je peux maintenant le dire : il ne reste plus que deux
tomes avant la fin de Fairy Tail. Bien évidemment, cette série va me manquer,
mais je suis très excité à l'idée de commencer une toute nouvelle histoire.

Maintenant, je m'adresse à tous ceux qui sont tristes : je vous dis
un immense merci ! Je suis déterminé à enchaîner rapidement avec
un nouveau manga, et je compte sur vous pour encourager
nos fées jusqu'à la fin de leurs aventures.

Titre original :
FAIRY TAIL, vol. 61
© 2017 Hiro Mashima
All rights reserved.
First published in Japan in 2017
by Kodansha Ltd., Tokyo.
Publication rights for this French edition
arranged through Kodansha Ltd., Tokyo.

Traduction du japonais : Thibaud Desbief
Adaptation graphique : Sébastien Douaud
Maquette de couverture : Hervé Hauboldt
Suivi éditorial : Matthieu Barbarit
Responsable éditorial : Mehdi Benrabah

Édition française
2018 Pika Édition
ISBN : 978-2-8116-3791-0
ISSN : 2100-2932
Dépôt légal : janvier 2018

Achevé d'imprimer en Italie
par Grafica Veneta en septembre 2019

PAPIER À BASE DE
FIBRES CERTIFIÉES

Pika Édition s'engage pour l'environnement en
réduisant l'empreinte carbone de ses livres.
Rendez-vous sur www.pika-durable.fr